Andrea Holzer-Rhomberg

Aus der musikalischen Schatz-kiste

38 bekannte musikalische Themen
bearbeitet für Violoncello (1. Lage)

VHR 3877 / ISMN 979-0-2013-1024-4 / ISBN 978-3-86434-120-5

Audio-Produktion:
Produziert und aufgenommen 2021 im Ewood-Studio Nürnberg

Mitwirkende:
Ralph Krause – Violoncello
Jo Barnikel – Klavier

Notensatz:
Regina Krauß, Speyer

Umschlag:
Gerhard Illig, Schwaig bei Nürnberg

Zeichnung: Ulrich Velte Design + Illustration, Hamburg

www.holzschuh-verlag.de
www.fiedel-max.de
www.passion4stringteaching.com

Vorwort

Die vorliegende Ausgabe bietet ein abwechslungsreiches Repertoire an Spielstücken sowohl für junge Musiklernende als auch für erwachsene Amateurmusiker. Die Auswahl der Werke nimmt den Spieler mit auf eine Reise durch mehrere Jahrhunderte. Leicht spielbare Bearbeitungen berühmter Meisterwerke aus Barock, Klassik und Romantik sind ebenso vertreten wie Fiddle-Musik, Traditionals und beliebte Melodien aus der Unterhaltungsmusik.

Die Werke sind sorgfältig ausgewählt nach spieltechnischen und musikalischen Gesichtspunkten. Alle Stücke dieser Ausgabe sind in der 1. Lage spielbar. Bei jenen Kompositionen, die Lagenspiel erfordern, wurde mit Stichnoten eine in der 1. Lage spielbare Alternative hinzugefügt. Selbstverständlich können die Noten vom Instrumentallehrer mit anspruchsvolleren Fingersätzen (Lagenspiel) sowie Strichalternativen versehen werden, um das klangliche Ergebnis zu verfeinern.

Die Bearbeitungen dieser Ausgabe eröffnen den Spielerinnen und Spielern einen Zugang zu Meisterwerken unserer abendländischen Musik. Sie eignen sich für den Unterricht, für Vorspiele an Schulen und Musikschulen, für Auftritte bei musikalischen Umrahmungen von Veranstaltungen sowie für das gemeinsame Musizieren zu Hause. Diese Ausgabe ist somit eine ideale Ergänzung zu jeder Celloschule.

Das Einstudieren der Stücke wird durch die per Download zur Verfügung gestellten Audiodateien (Hör- und Mitspielversion) unterstützt. Das Klavier wurde auf 440 Hz gestimmt.

Für das gemeinsame Musizieren im Musikunterricht, bei Auftritten oder zu Hause mit Eltern und Geschwistern ist zusätzlich eine Ausgabe mit sämtlichen Klavierbegleitungen erhältlich. Der Schwierigkeitsgrad liegt im leichten bis mittleren Bereich.

Nun wünsche ich den jungen Cellistinnen und Cellisten viel Freude beim Musizieren.

Andrea Holzer-Rhomberg
Feldkirch 2021

Die Audiodateien können unter

https://download.holzschuh-verlag.de

nach Eingabe des Download-Codes
kostenlos heruntergeladen werden.

Download-Code: 7f8w-wzb7

Wir empfehlen den Download mit einem PC oder Mac, da die Dateien in einem ZIP-Archiv vorliegen und erst entpackt werden müssen.

Inhalt

Adagio-Thema

aus dem *Klarinettenkonzert KV 622*

W. A. Mozart (1756–1791)
Bearb.: A. Holzer-Rhomberg

MP3 01

mp
7
mf
13
1.
2.

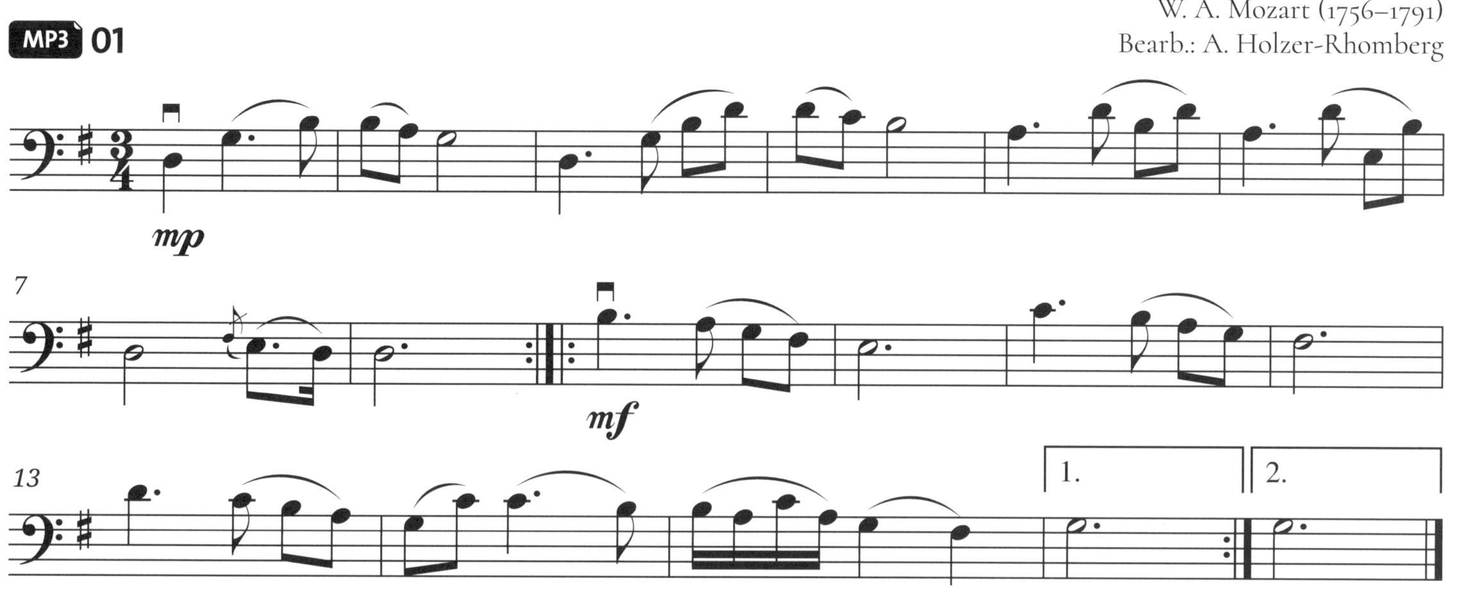

Von fremden Ländern und Menschen

aus *Kinderszenen op. 15*

R. Schumann (1810–1856)
Bearb.: A. Holzer-Rhomberg

MP3 02

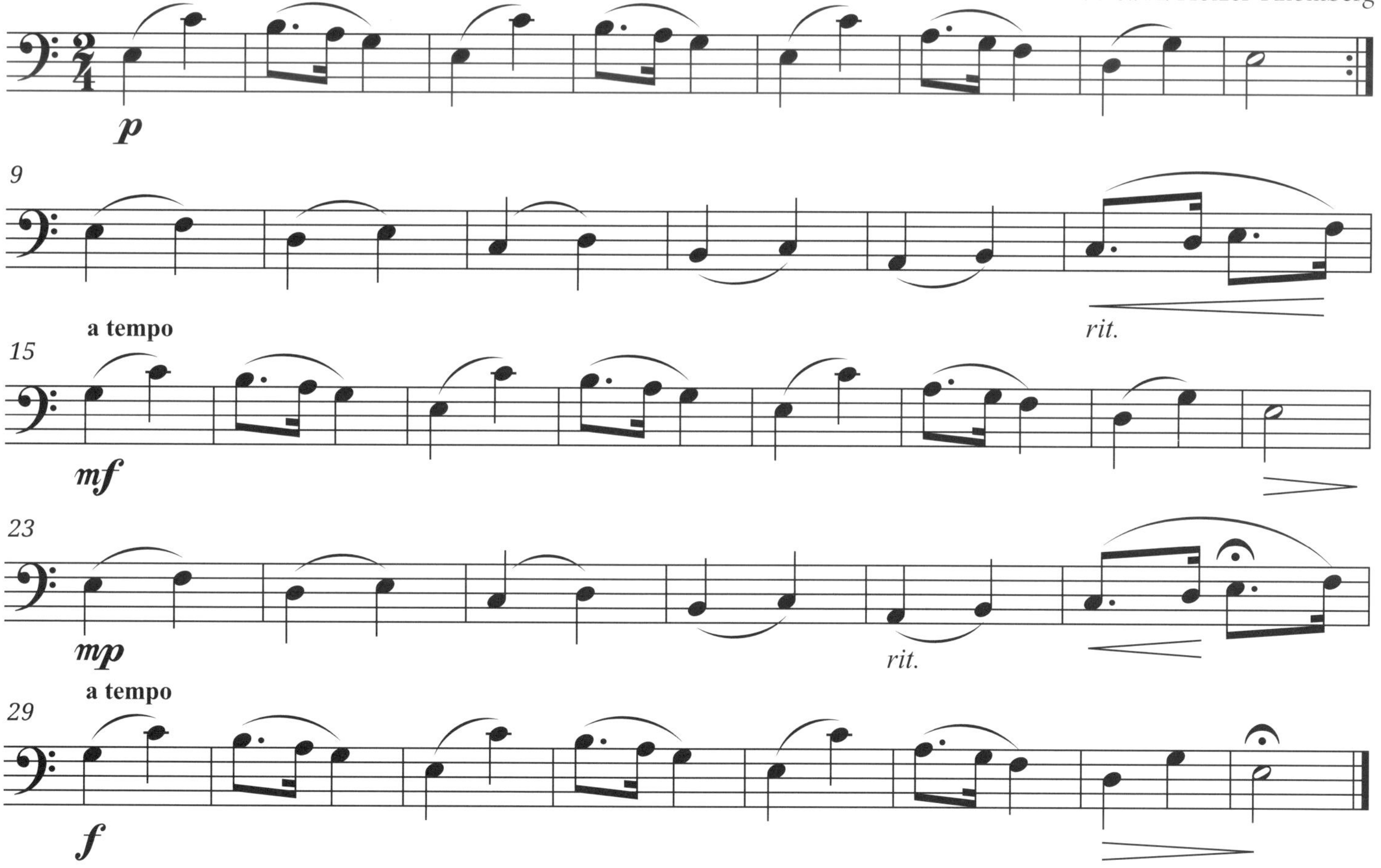
p
9
rit.
a tempo
15
mf
23
mp
rit.
a tempo
29
f

Le Petit Rien

Rondeau

MP3 03

F. Couperin (1668–1733)
Bearb.: A. Holzer-Rhomberg

Menuett

aus der *Feuerwerksmusik*

MP3 04

G. F. Händel (1685–1759)
Bearb.: A. Holzer-Rhomberg

St. Antonius Choral

aus dem *Divertimento in B-Dur*

MP3 05

J. Haydn (1732–1809)
Bearb.: A. Holzer-Rhomberg

cresc.

decresc.

Andante Grazioso

aus der *Klaviersonate KV 331*

W. A. Mozart (1756–1791)
Bearb.: A. Holzer-Rhomberg

MP3 06

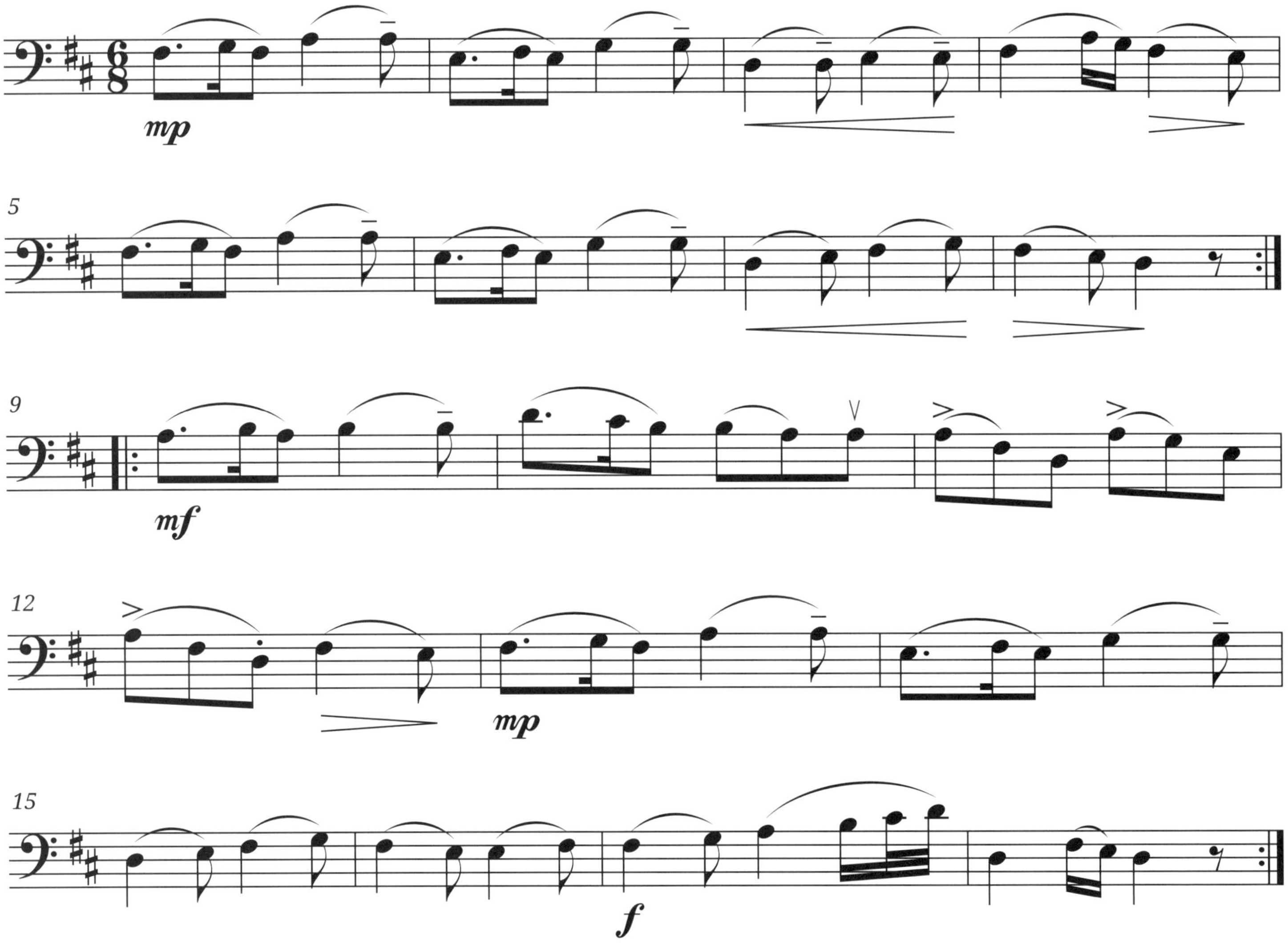

Der Frühling

Thema aus den *Vier Jahreszeiten*

A. Vivaldi (1678–1741)
Bearb.: A. Holzer-Rhomberg

MP3 07

Letzte Rose

aus der Oper *Martha*

MP3 08

F. von Flotow (1812–1883)
Bearb.: A. Holzer-Rhomberg

Auld Lang Syne

MP3 09

Traditional (Schottland)
Bearb.: A. Holzer-Rhomberg

mf

6

10

14

1. 2.

The Devil's Dream

Hornpipe

MP3 10

Traditional (Schottland)
Bearb.: A. Holzer-Rhomberg

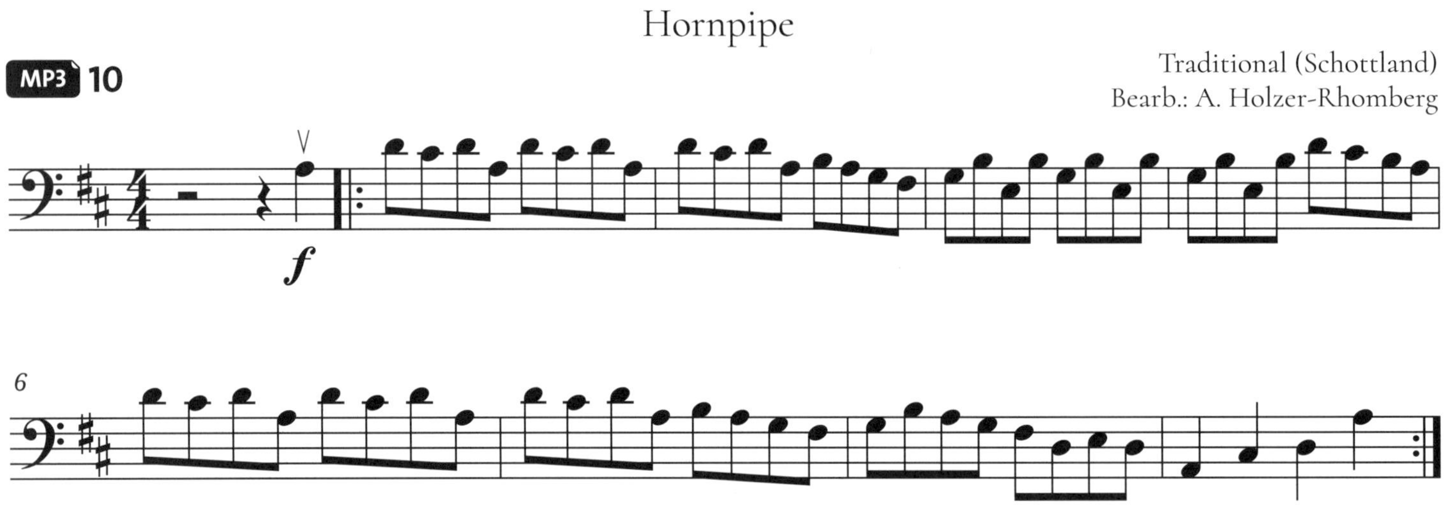

10

14

18

22

26

Non lo dirò col labbro

aus der Oper *Tolomeo*

G. F. Händel (1685–1759)
Bearb.: A. Holzer-Rhomberg

Scarborough Fair

Traditional (England)
Bearb.: A. Holzer-Rhomberg

MP3 12

Wiegenlied

op. 49 Nr. 4

J. Brahms (1833–1897)
Bearb.: A. Holzer-Rhomberg

MP3 13

Chorus

aus dem Oratorium *Judas Maccabäus*

MP3 14

G. F. Händel (1685–1759)
Bearb.: A. Holzer-Rhomberg

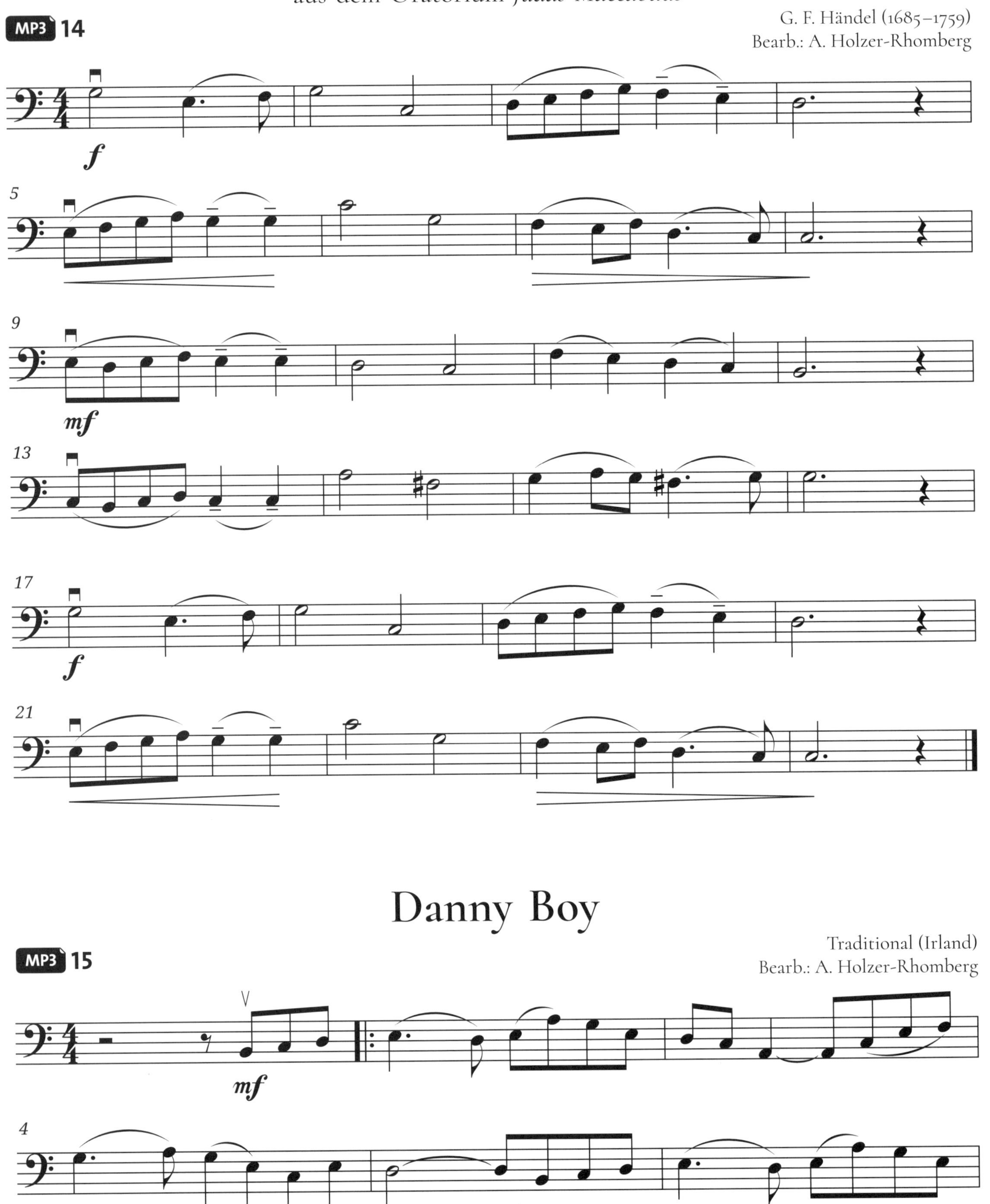

Danny Boy

MP3 15

Traditional (Irland)
Bearb.: A. Holzer-Rhomberg

Largo

MP3 16

aus der *Neuen Welt*

A. Dvořák (1841–1904)
Bearb.: A. Holzer-Rhomberg

6
11
16
21

Der Vogelfänger bin ich ja

aus der Oper *Die Zauberflöte*

MP3 17

W. A. Mozart (1756-1791)
Bearb.: A. Holzer-Rhomberg

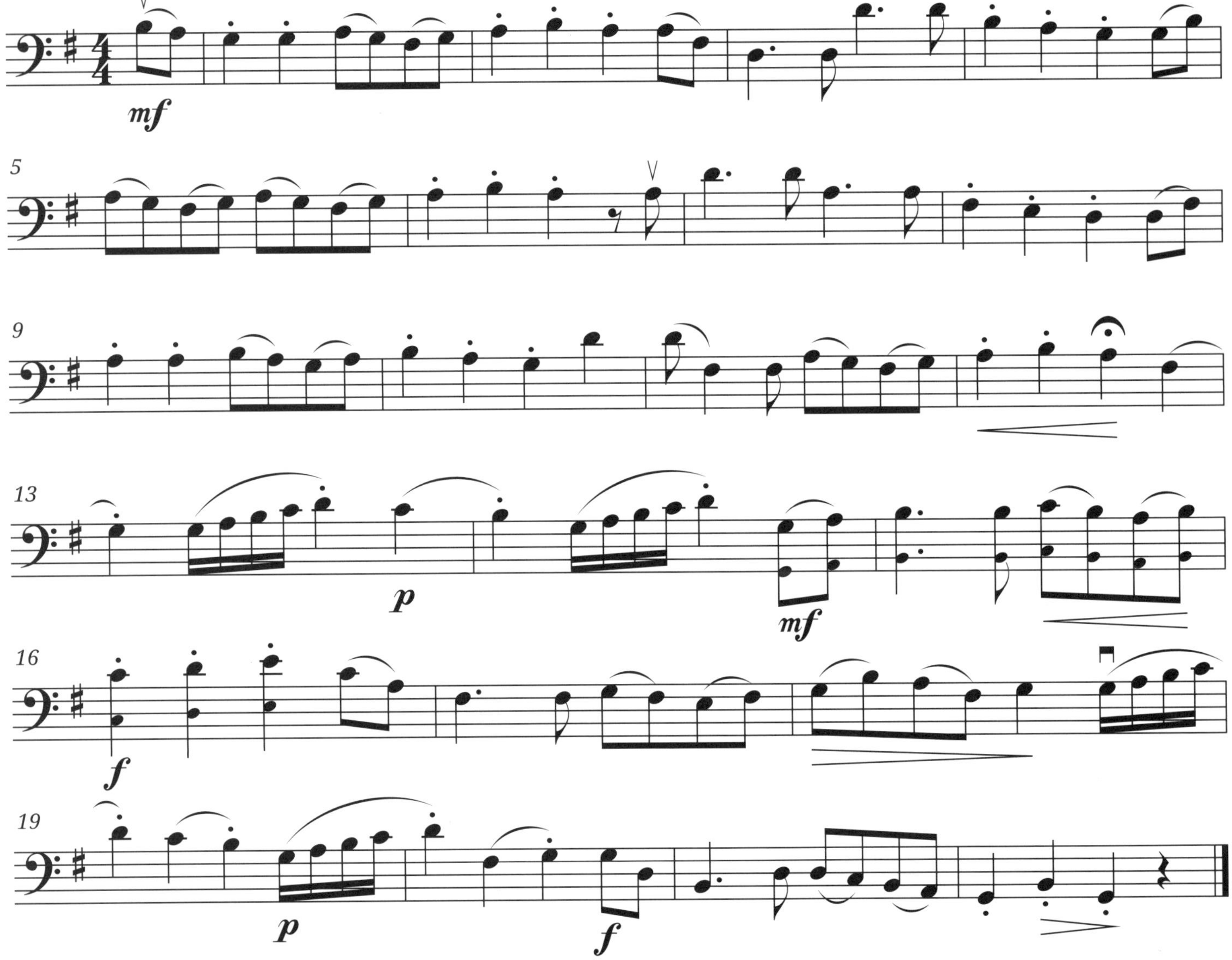

mf
5
9
13
p
mf
16
f
19
p
f

Wiegenlied

op. 98 Nr. 2

MP3 18

F. Schubert (1797–1828)
Bearb.: A. Holzer-Rhomberg

p
5
mf

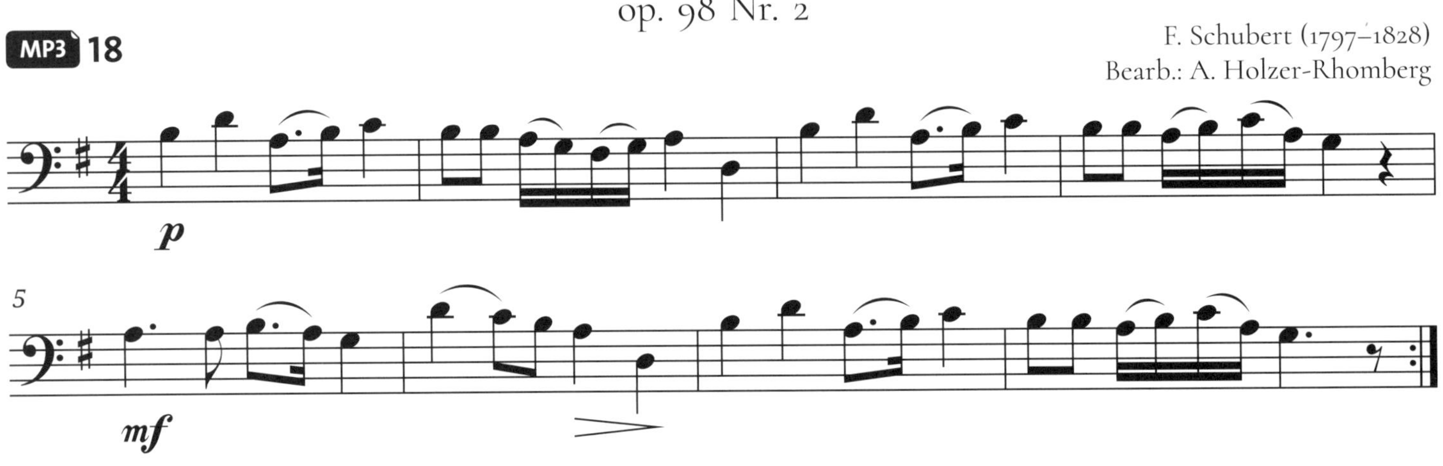

Moderato

aus der Sonatine Nr. 1

MP3 19

L. v. Beethoven (1770–1827)
Bearb.: A. Holzer-Rhomberg

Triumphmarsch

aus der Oper *Aida*

G. Verdi (1813–1901)
Bearb.: A. Holzer-Rhomberg

Fiddle Tunes

Sailor's Hornpipe and Soldier's Joy

Traditional
Bearb.: A. Holzer-Rhomberg

Andante

aus der *Symphonie mit dem Paukenschlag*

J. Haydn (1732–1809)
Bearb.: A. Holzer-Rhomberg

La Paloma

MP3 23

S. de Yradier (1809–1865)
Bearb.: A. Holzer-Rhomberg

O mio babbino caro

aus der Oper *Gianni Schicchi*

G. Puccini (1858–1924)
Bearb.: A. Holzer-Rhomberg

Rejouissance

aus der *Feuerwerksmusik*

MP3 25

G. F. Händel (1685–1759)
Bearb.: A. Holzer-Rhomberg

Einzug der Königin von Saba

aus dem Oratorium *Salomon*

MP3 26

G. F. Händel (1685–1759)
Bearb.: A. Holzer-Rhomberg

Humoresque

MP3 27

A. Dvořák (1841–1904)
Bearb.: A. Holzer-Rhomberg

Prelude

aus dem *Te Deum*

MP3 28

M. A. Charpentier (1643–1704)
Bearb.: A. Holzer-Rhomberg

Walzer

op. 39 Nr. 15

MP3 29

J. Brahms (1833–1897)
Bearb.: A. Holzer-Rhomberg

Romanze

aus der *Sonatine Nr. 1*

MP3 30

L. v. Beethoven (1770–1827)
Bearb.: A. Holzer-Rhomberg

Non più mesta

aus der Oper *La Cenerentola*

MP3 31

G. Rossini (1792–1868)
Bearb.: A. Holzer-Rhomberg

Neapolitanisches Tanzlied

aus dem Ballett *Schwanensee*

P. I. Tschaikowski (1840–1893)
Bearb.: A. Holzer-Rhomberg

MP3 32

cresc.
Adagio
MP3 33
T. Albinoni (1671–1751)
Bearb.: A. Holzer-Rhomberg
mp
mf
decresc.
p

Caro mio ben

G. Giordano (1730–1806)
Bearb.: A. Holzer-Rhomberg

Lascia ch'io pianga

aus der Oper *Rinaldo*

G. F. Händel (1685–1759)
Bearb.: A. Holzer-Rhomberg

Menuett

aus dem *Notenbüchlein für Anna Magdalena Bach*

MP3 36

J. S. Bach (1685–1750)
Bearb.: A. Holzer-Rhomberg

La donna è mobile

aus der Oper *Rigoletto*

G. Verdi (1813–1901)
Bearb.: A. Holzer-Rhomberg

O sole mio

E. di Capua (1865–1917)
Bearb.: A. Holzer-Rhomberg